RECETAS DE SUPERVIVENCIA
PARA PRINCIPIANTES

¡Platos sanos en 10 minutos!

Primera edición: noviembre de 2011
Segunda edición: enero de 2012
Tercera edición: mayo de 2012
Cuarta edición: julio de 2012

Peu de la Creu, 4, 08001 Barcelona
correu@grup62.com
grup62.com
Recetas: Lara Canovas Garriga
Idea original y coordinación: Lékué, www.lekuecooking.com
Información nutricional: Sticsa
Dirección de arte y diseño: Nomon Design
Créditos fotográficos: Xavier Mendiola
Cocinera: Amanda Laporte
Maquetación: Pau Santanach
Depósito Legal: B-1861-2012
Impresión: EGEDSA
ISBN: 978-84-15193-01-2

RECETAS DE SUPERVIVENCIA
PARA PRINCIPIANTES

¡Platos sanos en 10 minutos!

ÍNDICE

Introducción

No sabes ni freír un huevo. O sí sabes, pero estás cansado de comer siempre lo mismo. Y por supuesto, no tienes tiempo (ni ganas) de cocinar. Si éste es tu caso, éste es tu libro. Aquí encontrarás las herramientas necesarias para sobrevivir en tu día a día de una forma fácil, equilibrada y sabrosa: tan sólo necesitarás un microondas, el Estuche de Vapor de Lékué y 10 minutos al día.

Sorpréndete con un delicioso risotto de pollo o un solomillo de cerdo ibérico al *curry*. Aquí te ofrecemos recetas amenas y sanas con ingredientes al alcance de tu mano, que aportarán diversidad a tu alimentación y evitarán la monotonía en tus comidas. La preparación de cada receta es muy sencilla y, siguiendo sus pasos, conseguirás en un pispás un plato perfecto.

Para facilitarte las cosas, te proponemos también dos menús semanales, de manera que no tengas que romperte la cabeza pensando lo que vas a cocinar en tu próxima comida. Estos menús, diseñados por el equipo de nutricionistas de Sticsa, constan de platos nutricionalmente variados y equilibrados con los que te asegurarás de que no falte de nada en tu dieta diaria.

Si eres de los que, bien por obligación o por deleite, tienes cita con el carro de la compra una vez por semana, ahórrate tiempo y descárgate las listas con todos los ingredientes necesarios para tus menús semanales en **www.lekue.es.**

Con la ayuda de los trucos y consejos que encontrarás en este libro, ya no tienes excusa para no cocinar y comer en casa de una forma sana, equilibrada y apetecible.

Tiempo de cocción de los alimentos frescos al horno y microondas

ALIMENTO		CANTIDAD	HORNO (200 °C)	MICROONDAS (800 W)
VERDURAS Y FÉCULAS				
Acelgas		50 g	10 min	3 min
Ajos tiernos		100 g	10 min	4-5 min
Alcachofas	100 ml de agua, sal	2 ud	15 min	10 min
Arroz	200 ml de agua	80 g	20 min	10 min
Berenjena pequeña		60 g	10 min	6 min
Brócoli y Coliflor	3 cdas de agua, 1 cda de aceite de oliva, sal	150 g	15 min	4-5 min
Calabacín	1 cda de aceite de oliva, sal	60 g	13 min	6 min
Cebolla	en juliana, 100 ml de agua	250 g	12 min	4-5 min
Champiñones frescos	100 ml agua, 1 cda aceite de oliva, sal	100 g	20 min	7 min
Espárragos	1 cda de agua, sal	150 g	10-12 min	3-4 min
Espinacas	100 ml de agua, sal	150 g	10 min	3-4 min
Judías verdes	3 cdas de agua, 1 cda de aceite de oliva, sal	100 g	12-13 min	7 min
Pasta fresca	400 ml de agua	80 g	10 min	4 min
Pasta mediana	400 ml de agua	50 g	30 min	10 min
Pasta rellena	400 ml de agua	100 g	15 min	4 min
Patata mediana	a daditos, 150 ml de agua, 1 cda de aceite de oliva, sal	60 g (1 ud.)	12 min	7 min
Pimiento	2 cda de aceite de oliva, sal	100 g	12-15 min	4 min
Puerro	1 cda de agua, 1 cda de aceite de oliva, sal	150 g	10 min	4-5 min
Tomate	Cortado en dos	1 ud.	10 min	2 min
Zanahoria	6 ml de agua, 2 cdas de aceite de oliva, sal	60 g	15 min	10 min
FRUTA				
Manzana	en cuartos, 1cda de agua, 1 cdta de azúcar	200 g	10-12 min	3 min
Pera	en cuartos, 1cda de agua, 1 cdta de azúcar	150 g	10-12 min	3 min
Plátano	1 cda de agua	1 ud.	12 min	1 min
PESCADOS				
Colas de langostino	1 cda de agua	100 g	10 min	2 min
Pescado en filete	2 cdas de agua	100 g	8-9 min	2-3 min
Pescado en lomo	2 cdas de agua	150 g	10 min	3 min
MARISCOS				
Almejas y mejillones	100 ml de agua	100 g	10 min	2-3 min
CARNES				
Carré de cordero		130 g	12 min	2 min
Filetes de ternera		100 g	7-8 min	2 min
Muslitos de pollo		150 g	7-8 min	2 min
Pechuga de pavo	a dados	150 g	7-8 min	2-3 min
Salchichas		150 g	7-8 min	3 min
Solomillo de cerdo	a daditos	150 g	7-8 min	2 min
Huevo	sin cáscara	1 ud.	5 min	30 seg

* El tiempo y la potencia puede variar en función del microondas utilizado.

¿Qué es la silicona platino?

La silicona platino es un tipo de silicona que sólo utiliza el platino (metal noble) como catalizador, lo que la hace totalmente inodora, antibacteriana y **resistente a las altas y bajas temperaturas.**

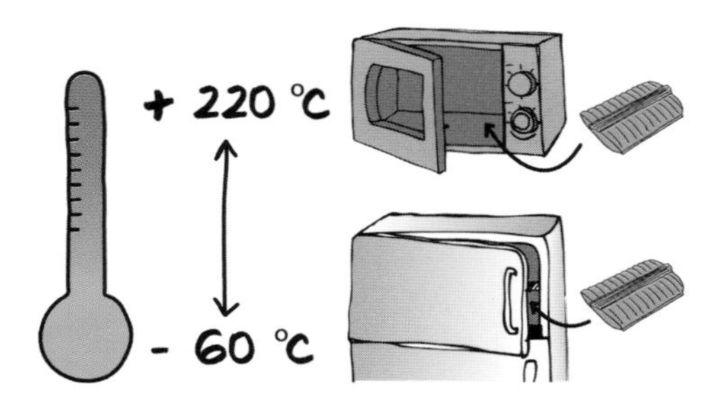

Además, sus propiedades antiadherentes **facilitan el desmolde**, por lo que no necesita engrasado y se elimina el uso excesivo de mantequillas y/o aceites, permitiendo una cocción un poco más sana, sin grasas añadidas.

Es por eso que resulta perfecta y absolutamente segura para utilizar en productos de material quirúrgico-sanitario, prótesis e implantes médicos y **tetinas de biberón**.

Puesto que tampoco altera el sabor ni deja residuos también es ideal para la fabricación de moldes y utensilios en contacto con la comida, como es el caso de los productos Lékué.

Para más seguridad, Lékué aplica estrictos controles de calidad y así garantiza un perfecto producto final. Junto a la revisión de todos y cada uno de los productos, se realiza un proceso de horneado (postcuración) en la que los productos se someten durante cuatro horas a 215 °C de temperatura para eliminar cualquier posible residuo, de manera que puedas **disfrutar con total tranquilidad de todas tus comidas.**

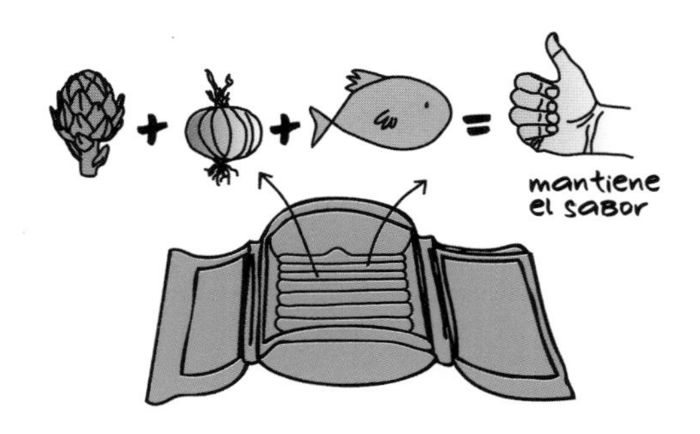

Para un día perfectamente equilibrado

Si estructuras correctamente las comidas, te será más fácil mantener un **peso estable**, además de garantizar la **energía** y los **nutrientes** que tu organismo necesita. A lo largo del día es recomendable ingerir alimentos entre cuatro y cinco veces y que evites estar muchas horas sin comer.

El **desayuno** es la primera comida indispensable. Han pasado muchas horas desde la cena y, por lo tanto, tiene una especial importancia para comenzar el día en las mejores condiciones.

Consejo:
Para que sea completo y equilibrado, un desayuno debe incluir tres tipos de alimentos: cereales, fruta y lácteos.

Las **comidas** principales, tanto la del mediodía como la de la noche, deben aportar **hidratos de carbono complejos**, a través de alimentos como el pan, el arroz, las patatas, las legumbres o la pasta; **proteínas**, contenidas en la carne, los pescados y los huevos; y **vitaminas**, **minerales**, **agua** y **fibra** de los vegetales, ya sea en forma de verduras u hortalizas.

Consejo:
Se recomienda que en cada comida haya un aporte vegetal en crudo, es decir, ensalada o fruta a modo de postre

Consejo:
Una ración de vegetales consta de unos 200 g aproximadamente, es decir, un plato.

Consejo:
Una ración equivale a un vaso de leche, dos yogures, una loncha de queso curado o bien una tarrina individual de queso fresco.

Alimentos ricos en hidratos de carbono complejos

• Pan: consumo diario.

• Legumbres (garbanzos, alubias, lentejas, soja): dos veces a la semana como mínimo.

• Pasta: entre dos y tres veces a la semana.

• Arroz: una o dos veces a la semana.

• Patatas: entre cuatro y seis veces a la semana.

Alimentos ricos en proteínas

• Carne roja (buey, ternera, caballo, cordero): entre una y dos veces a la semana.

• Carne blanca (cerdo, pollo, conejo, pavo): unas tres veces a la semana.

• Pescado blanco y marisco (perca, rape, gallo, cabracho, lubina, salmonete, raya, halibut, rodaballo, bacalao, merluza, lenguado, gambas, mejillones, sepia, calamar): de tres a cuatro veces a la semana.

• Pescado azul (trucha, salmón, sardinas, bonito, arenque, atún, anchoas, caballa, boquerones, emperador): dos veces a la semana como mínimo.

• Huevos: unas cuatro unidades a la semana.

Lácteos

• Leche: consumo diario.

• Yogur: consumo diario.

• Queso: consumo semanal.

• Postres lácteos: consumo ocasional.

Primera semana

Si organizas tu alimentación, mantendrás un óptimo estado de salud y también tendrás más tiempo libre. Para conseguirlo, planifica tus comidas diarias y semanales con la ayuda de los siguientes menús.

	Día 01	Día 02	Día 03
DESAYUNO Y MEDIA MAÑANA	1 infusión 3 tostadas con jamón york y queso fresco 1/2 papaya	1 bol de leche con cereales 1 pera	Té con leche 1 panecillo con jamón serrano 1 zumo de naranja natural
COMIDA	Dados de tomate con rúcula Risotto de pollo y setas con aceite de albahaca 1 yogur	Ensalada de garbanzos pimiento rojo, verde, tomate y cebolla Lubina con calabacín y zanahoria 1 manzana	Brotes verdes con vinagreta de olivas negras Solomillo de cerdo ibérico al *curry* 1 yogur
MERIENDA	1 yogur bebible 2 mandarinas	1 yogur 1 naranja	1 yogur bebible 3 higos
CENA	Judías verdes con patata Merluza en salsa verde 1 manzana	Endivias con picada de frutos secos Revuelto de champiñones con tostadas 1 yogur bebible	Brócoli con espirales de colores Lenguado a la mostaza Frutos rojos

Día 04	Día 05	Día 06	Día 07
1 infusión 3 tostadas con queso 1 plátano	Café con leche 1 sándwich de pavo 1 manzana	1 taza de chocolate con leche y galletas 2 mandarinas	1 vaso de leche 6 galletas 1 mango
Crema de puerros Arroz con tiras de ternera y cúrcuma 1 racimo de uvas	Ensalada de escarola, tomates cherry y lentejas Pechuga de pavo con alcachofas 1 yogur	Ensalada caprese Arroz con langostinos 1 flan	Coliflor gratinada con emmental Salchichas con patata, cebolla y mostaza 1 pera
1 yogur 2 kiwis	1 yogur 2 mandarinas	1 porción de tarta de queso con frutos rojos	1 yogur 2 kiwis
Ensalada con lechuga, tomate y remolacha Tortilla de patatas 1 cuajada	Crema de zanahoria Timbal de verduras 1 manzana asada	Macarrones al pesto Hamburguesa con cebolla confitada 1/4 de piña	Ensalada con maíz y espárragos Emperador con manzana asada y salsa agridulce 1 kiwi

Segunda semana

	Día 08	Día 09	Día 10
DESAYUNO Y MEDIA MAÑANA	1 infusión 3 tostadas con queso 1 manzana	Bol de leche con cereales 2 mandarinas	1 vaso de leche 6 galletas 2 kiwis
COMIDA	Ensalada de canónigos Pasta con salmón al eneldo 1 yogur	Ensalada de col y brotes de germinados Rape con patatas al mortero 1 yogur bebible	Ensalada de tomate con *mozzarella* Tagliatelle fresco a la marinera 1 naranja
MERIENDA	1 yogur 1 naranja	1 yogur Uvas	1 yogur bebible 1 plátano
CENA	Espinacas con pasas y piñones Butifarra con judías secas 1 pera	Ensalada de pasta, queso freso y pimientos Tortilla de calabacín 1 kiwi	Milhojas de pimientos, patata y mero 1 yogur de sabores

Día 11	Día 12	Día 13	Día 14
2 panecillos con jamón york 1 yogur 1 zumo de naranja natural	3 tostadas con pavo 1 yogur bebible 1 plátano	1 bol de leche con cereales 1 naranja	1 café con leche 3 tostadas con dulce de membrillo o mermelada de frutos rojos 1 zumo de naranja natural
Judías verdes con jamón Revuelto de ajos tiernos Pan tostado 1 kiwi	Menestra de verduras Costilla de cerdo con salsa *teriyaki* 1 manzana	Ensalada tibia de escarola con bacalao desalado y tomate Raviolis frescos de setas 1 yogur	Ensalada de brotes verdes Mejillones con arroz 1 yogur bebible
2 mandarinas	1 yogur 2 kiwis	1 yogur bebible 1 porción de tarta de manzana	1 yogur 1/4 de piña
Ensalada de lechuga Fideos con champiñones y ternera 1 yogur	Ensalada de endivias Arroz a la cubana 1 vaso de leche	Acelgas con garbanzos Carré de cordero a las finas hierbas 1 caqui (palosanto)	Crema de calabaza Muslitos de pollo con patatas 1 pera

Cómo comprar para una persona

El hecho de cocinar para una sola persona no impide que se pueda comer sano y disfrutar de una dieta rica y variada. A continuación, encontrarás algunos sencillos consejos que te facilitarán la compra de todos los ingredientes necesarios.

1

Busca frutas y verduras a granel. Tanto si compras en el supermercado como si lo haces en la frutería o la verdulería, lo ideal es elegir un sitio que permita la compra por piezas. Ésta es la mejor opción para una sola persona, pues permite obtener únicamente las raciones necesarias y, de este modo, conseguir una alimentación variada.

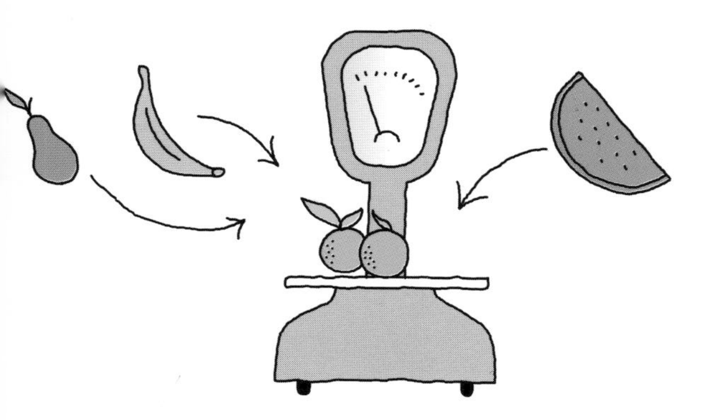

2

Prepara una buena despensa. Muchos alimentos ya vienen preparados o en conserva, por lo que son una muy buena opción, pues acostumbran a tener fechas de caducidad muy largas y se conservan bien a temperatura ambiente. Cómpralos siempre en envases individuales y guarda en tu despensa un surtido variado: latas de atún, tomate triturado, espárragos, berberechos, olivas, maíz, botes de legumbres cocidas,etc.

3

Compra alimentos en paquetes individuales. Para no tener que comer todos los días lo mismo y evitar que la comida sobrante se estropee en la nevera, compra los alimentos en paquetes individuales, como por ejemplo las bolsas de lechuga o espinacas, o busca los más pequeños.

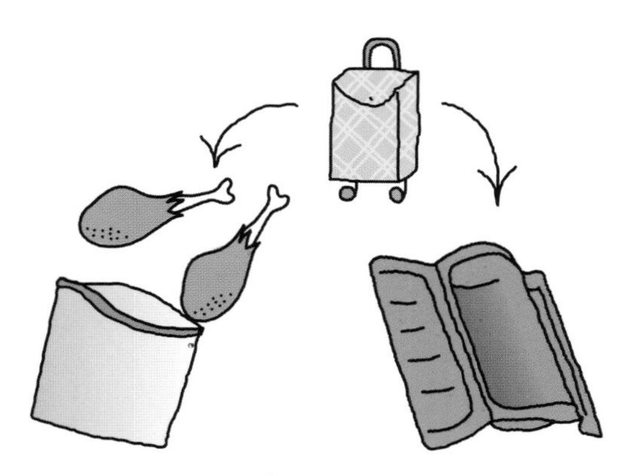

4

Congela en porciones individuales. Al comprar carne fresca, por ejemplo en bandejas preparadas, puedes conservar en la nevera la ración que vayas a consumir a corto plazo y congelar el resto. Envuelve cada pieza individualmente con film transparente antes de congelarla; de esta manera podrás utilizar cada día sólo la cantidad que vas a consumir. Si ha sobrado pan, puedes cortarlo en rebanadas y congelarlo; así siempre tendrás pan tierno cuando lo necesites.

5

Apuesta por los alimentos congelados. Son una solución que te permitirá tener siempre verduras y pescado en casa. Además, al estar ya limpios y troceados, podrás cocinarlos directamente en el Estuche de Vapor sin tener que descongelarlos previamente. Por fin las improvisaciones de última hora están bajo control.

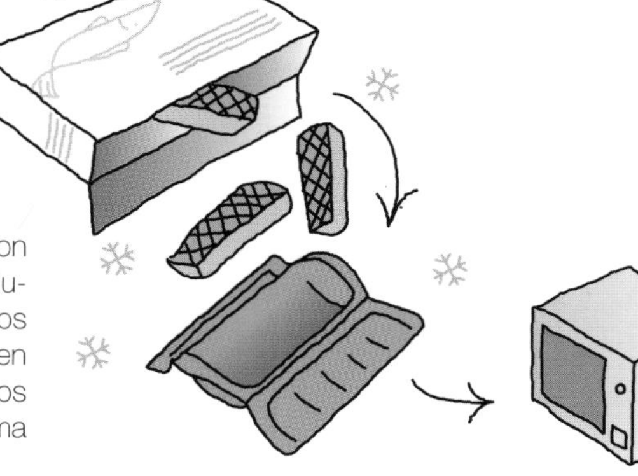

Cómo organizar los alimentos

Para que los alimentos se conserven de una manera óptima, es muy importante que los mantengas ordenados tanto en la despensa como en la nevera y el congelador.

El lugar destinado para tu despensa debe ser fresco, seco y con poca luz. En él guardarás los alimentos secos: pasta, legumbres, galletas, arroz, harinas, conservas, etc.

Consejo:
Recuerda siempre colocar los alimentos según la fecha de caducidad. Al ordenarlos, pon los de más corta duración en la parte delantera de los estantes.

Conserva los alimentos perecederos, que se estropean con más facilidad, en la nevera y el congelador. La temperatura idónea de la nevera debe estar entre 4 y 5 °C aproximadamente. El congelador debe mantenerse a –18 °C .

Consejo:
Si no tienes previsto consumir alimentos frescos como la carne o el pescado, por ejemplo, en el plazo de dos o tres días, congélalos lo antes posible.

En la nevera, distribuye los alimentos por grupos. En la parte más fría, generalmente en la zona superior del frigorífico, coloca las carnes y los pescados; en la menos fría conserva las frutas, las verduras, los productos lácteos y los huevos.

Los alimentos deben estar bien protegidos e identificados. Un plato cocinado, por ejemplo, puede mantenerse en una fiambrera cubierta con una tapa extensible. Si comienzas un paquete de embutido y te sobra, cúbrelo con film.

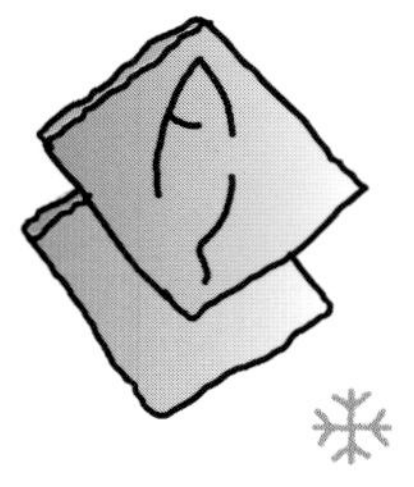

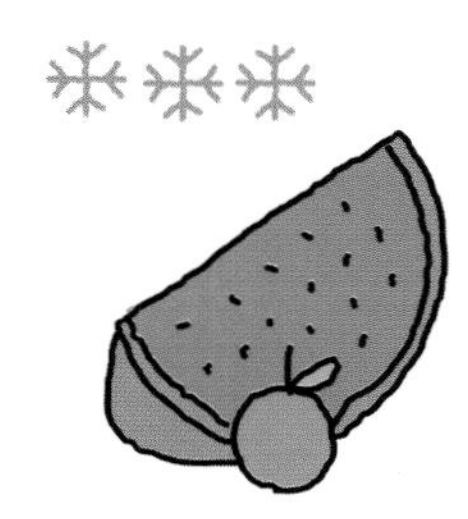

Consejo:

En la nevera el tiempo de conservación es variable, según el tipo de alimento, pero siempre inferior a 30 días; mientras que en el congelador se prolonga hasta un máximo de 18 meses.

Si decides congelar los alimentos, distribúyelos en porciones individuales y anota la fecha. Las bolsas de congelación, como las Cooking Bag de Lékué, son muy prácticas y conservan los alimentos herméticamente.

Descongelación

A la hora de descongelar los alimentos, debes cumplir las siguientes normas de higiene. Los productos deben descongelarse en la nevera durante unas 24 horas aproximadamente antes de cocinarlos. Utiliza un plato con una rejilla de descongelación encima, para que los jugos no estén en contacto con el alimento.

Si en alguna ocasión necesitas descongelar un alimento de una manera rápida, puedes hacerlo en el microondas o incluso cocinarlo directamente haciéndolo hervir, pero nunca lo dejes a temperatura ambiente ni lo expongas al contacto directo con el agua.

No olvides que un alimento descongelado no se puede volver a congelar a no ser que esté cocido. Por ejemplo, si has descongelado carne picada y la cocinas junto con unos macarrones, puedes congelar el plato sin ningún problema. Eso sí, debes recordar que, una vez cocinado, no se puede guardar directamente en la nevera ni en el congelador hasta que ya no esté caliente. Para ello, déjalo enfriar a temperatura ambiente durante un plazo máximo de dos horas.

Nota:

A pesar de todas estas recomendaciones, es importante que leas detalladamente la etiqueta de cada producto para asegurarte de que lo almacenas en el lugar adecuado.

SEMANA 01

Día 01

Risotto de pollo y setas con aceite de albahaca
Judías verdes con patata
Merluza en salsa verde

Día 02

Lubina con calabacín y zanahoria
Revuelto de champiñones con tostadas

Día 03

Solomillo de cerdo ibérico al *curry*
Brócoli con espirales de colores
Lenguado a la mostaza antigua

Día 04

Arroz con tiras de ternera y cúrcuma
Tortilla de patatas

Día 05

Pechuga de pavo con alcachofas
Timbal de verduras
Manzana asada

Día 06

Arroz con langostinos
Tarta de queso con frutos rojos
Macarrones al pesto
Hamburguesa con cebolla confitada

Día 07

Coliflor gratinada con emmental
Salchichas con patata, cebolla y mostaza
Emperador con manzana asada y salsa agridulce

Semana 01 Día 01

Risotto de pollo y setas con aceite de albahaca

Ingredientes

 **55 g** de arroz

 **150 ml** de agua

 **60 g** de pollo cortado a daditos

 **3 g** de setas deshidratadas

3 cucharadas de aceite de oliva

 **3** hojas de albahaca fresca

 **1** cucharadita de queso parmesano rallado

 Sal

 Pimienta

Preparación

1 Introduce el arroz, el pollo, las setas, el agua y una pizca de sal y de pimienta en el Estuche de Vapor.

2 Cierra el estuche y cuece en el microondas durante 10 minutos a potencia máxima (800 W).

3 Retira el estuche del microondas y aliña con un poco de aceite de oliva con las hojas de albahaca picadas y el parmesano rallado. Mezcla bien, con la ayuda de un tenedor o una espátula, para que quede ligado.

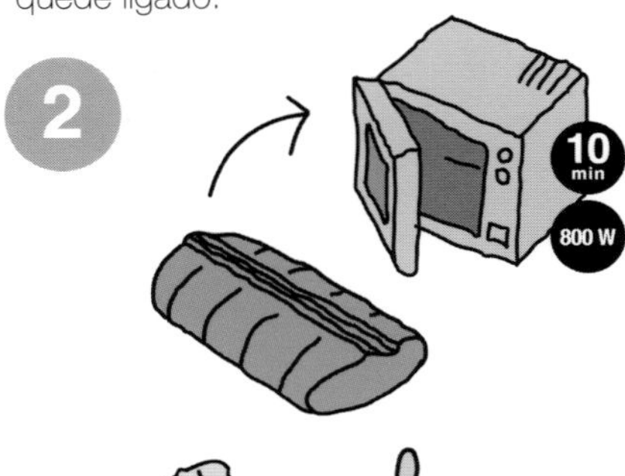

Semana 01 Día 01

Judías verdes con patata

Ingredientes

 **100 g** de judías verdes

 **60 g** de patata (1 patata mediana)

 **150 ml** de agua

 Sal

 Pimienta

Para la vinagreta

1 cucharadita de mostaza a la antigua

 **3** cucharaditas de vinagre de Módena

 **6** cucharadas de aceite de oliva virgen

Preparación

❶ Corta las judías verdes y la patata en trocitos pequeños. Introduce todos los ingredientes, menos los de la vinagreta, en el Estuche de Vapor. Cierra el estuche y cuece en el microondas durante 10 minutos a potencia máxima (800 W).

❷ Retira el estuche del microondas y comprueba que las verduras están hechas. Si aún les falta, déjalas reposar en el estuche con las tapas cerradas durante 1 minuto.

❸ Mezcla bien los ingredientes de la vinagreta y aliña con ella las patatas y las judías.

Consejo:
También puedes acompañar este plato con una cucharada de mahonesa y huevo duro rallado.

Semana 01 Día 01

Merluza en salsa verde

Ingredientes

 **150 g** de merluza (1 lomo)

 **10 ml** de vino blanco

 **1** diente de ajo picado

 Perejil picado

 Harina para empanar

 **1** cucharada de aceite de oliva virgen

 **60 ml** de agua

Preparación

❶ Salpimienta la merluza y empánala cubriendo bien con la harina.

❷ Introduce la merluza en el Estuche de Vapor con el resto de los ingredientes.

❸ Cierra el estuche y cuece en el microondas durante 3 minutos a potencia máxima (800 W).

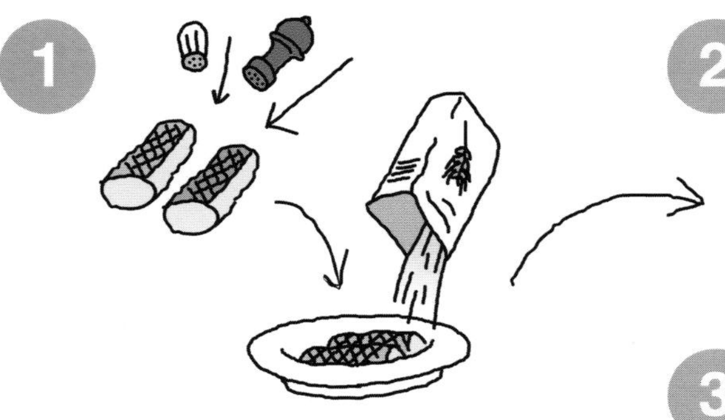

Semana 01 Día 02

Lubina con calabacín y zanahoria

Ingredientes

 **60 g** de zanahoria

 **60 g** de calabacín

 **1** diente de ajo

 **60 ml** de agua

1 cucharadita de aceite de oliva

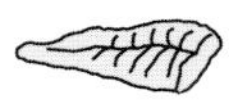 **100 g** de lubina (2 filetes) sin espinas

 **1** cucharada de vinagre blanco

 Cilantro fresco picado

 Sal

 Pimienta

Preparación

1 Corta en rodajas la zanahoria y el calabacín, pica el ajo y colócalo todo en el Estuche de Vapor junto con el agua, el aceite, la sal y la pimienta. Cierra el estuche y cuece en el microondas durante 5 - 6 minutos a potencia máxima (800 W).

2 Salpimienta la lubina y ponla en el estuche junto con el vinagre. Cierra las tapas y cuece 3 minutos más en el microondas.

3 Aliña con el cilantro picado y unas gotas de aceite de oliva.

Semana 01 Día 02

Revuelto de champiñones con tostadas

Ingredientes

 **100 g** de champiñones picados gruesos

 **100 ml** de agua

 **1** cucharada de aceite de oliva

 **1** huevo

 **20 ml** de leche

 Sal

 Pimienta

Preparación

❶ Introduce los champiñones, el agua y el aceite de oliva en el Estuche de Vapor y salpimienta al gusto. Cierra y cuece en el microondas a potencia máxima (800 W) durante 7 minutos.

❷ Bate el huevo con la leche y una pizca de sal y pimienta. Retira el Estuche de Vapor del microondas e incorpora el huevo batido.

❸ Cierra las tapas y cuece durante 30 segundos más. Saca el estuche y remueve la mezcla ligeramente. Cierra y cuece durante otros 30 segundos. Sirve acompañado con unas tostadas.

Consejo:

Si te apetece un revoltillo diferente, sigue el mismo procedimiento pero sustituye los champiñones por la misma cantidad de ajos tiernos u otro tipo de verdura. También puedes acompañarlo con un poco de cebolla cortada en juliana.

Para conocer los tiempos de cocción de cada verdura, consulta la tabla de cocción.

Semana 01 Día 03

Solomillo de cerdo ibérico al *curry*

Ingredientes

 **150 g** de solomillo ibérico

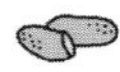 **120 g** de patatas (2 patatas medianas)

 **100 ml** de agua

 **1** cucharada de aceite de oliva

 **1** ramita de tomillo fresco

 *Curry* al gusto

 Sal

 Pimienta

 Salsa Worcerstershire

Preparación

❶ Corta las patatas y el solomillo a daditos. Introduce las patatas, el agua, el aceite, la sal y la pimienta en el Estuche de Vapor. Cierra el estuche y cuece en el microondas a potencia máxima (800 W) durante 5 minutos.

❷ Incorpora el solomillo y condimenta el conjunto con el *curry*, el tomillo, la sal y la pimienta. Mezcla bien, cierra las tapas y cuece 2 minutos más en el microondas.

❸ Aliña con unas gotas de salsa Worcerstershire y sirve.

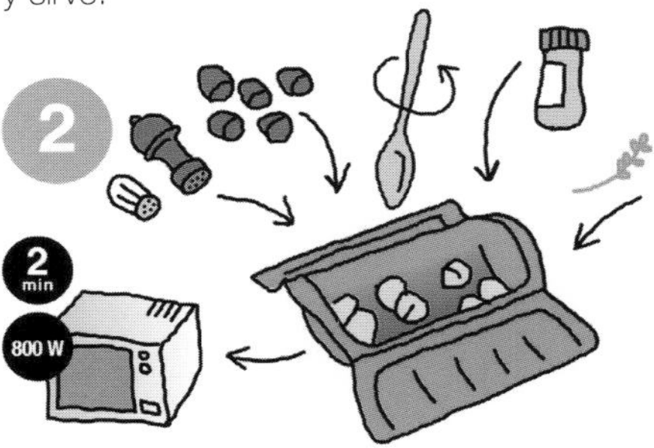

Semana 01 Día 03

Brócoli con espirales de colores

Ingredientes

 **50 g** de espirales de colores

 **50 g** de brócoli

 **250 ml** de agua

 **1** cucharada de aceite de oliva

 Orégano

Para la vinagreta

 **1** cucharada de salsa de soja

 **2** cucharadas de vinagre de Módena

 **100 ml** de aceite de oliva virgen

Preparación

❶ Introduce todos los ingredientes, excepto los de la vinagreta, en el Estuche de Vapor. Cierra el estuche y cuece en el microondas durante 10 minutos a potencia máxima (800 W).

❷ En un bol, mezcla bien todos los ingredientes de la vinagreta hasta que queden ligados.

❸ Una vez cocidos el brócoli y la pasta, aliña con la vinagreta y sirve.

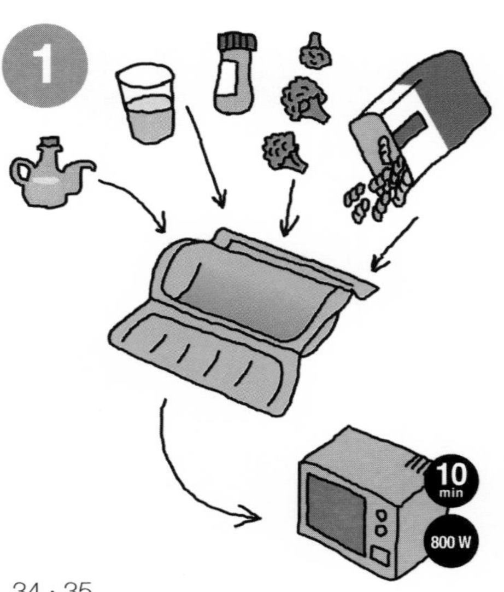

Semana 01 Día 03

Lenguado a la mostaza antigua

Ingredientes

 **150 g** de lenguado en filetes y sin espinas

 **1** cucharada de mostaza a la antigua

 **4** gotas de zumo de limón

 **1** cucharada de aceite de oliva virgen

 Sal

 Pimienta

Preparación

1. Coloca los filetes de lenguado en el Estuche de Vapor y condimenta con la sal, la pimienta, la mostaza y el zumo de limón.
2. Cierra el estuche y cuece en el microondas durante 2 minutos a potencia máxima (800 W).
3. Aliña con el aceite de oliva y sirve.

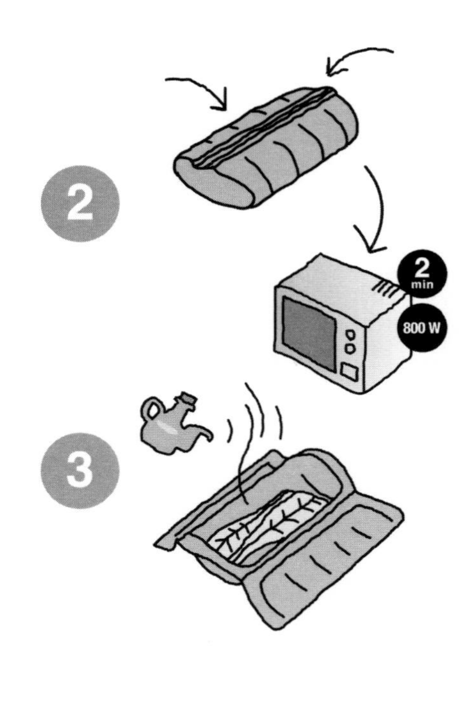

Semana 01 Día 04

Arroz con tiras de ternera y cúrcuma

Ingredientes

 **1** taza de arroz

 **3** tazas de agua

 **40 g** de ternera

 **1** cucharadita de cúrcuma

 **25 g** de judías verdes cortadas en tiras

 **1** cucharada de aceite de oliva

 Cebollino picado

 Salsa de soja

 Sal

 Pimienta

Preparación

❶ Corta la ternera y las judías en tiras finas y pica el cebollino.

❷ Introduce todos los ingredientes en el Estuche de Vapor. Ciérralo y cuece en el microondas durante 10 minutos a potencia máxima (800 W).

❸ Retira el estuche del microondas y deja reposar durante 2 minutos.

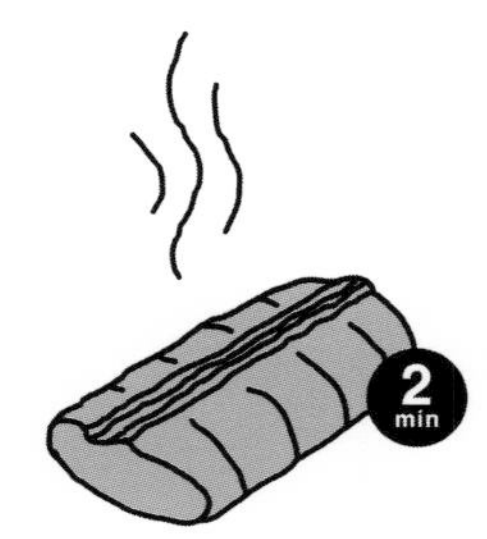

Semana 01 Día 04

Tortilla de patatas

Ingredientes

 **100 g** de patata

 **40 g** de cebolla

 **2** cucharadas de aceite de oliva

 **40 ml** de agua

 **2** huevos

 Sal

 Pimienta

Preparación

1 Corta la patata en rodajas no muy finas y la cebolla en juliana. Introduce la patata, la cebolla, el aceite de oliva, el agua, la sal y la pimienta en el Estuche de Vapor. Cierra el estuche y cuece en el microondas durante 7 minutos a potencia máxima (800 W).

Consejo:

Si te apetece una tortilla diferente, sigue el mismo procedimiento pero sustituye la patata por la misma cantidad de calabacín u otro tipo de verdura. En alimentos muy acuosos, como el calabacín, reduce la cantidad de agua a 20 ml.

Para conocer los tiempos de cocción de cada verdura, consulta la tabla de cocción.

2 Bate el huevo en un plato o en un recipiente cerrado e incorpóralo al estuche. Con un tenedor o una espátula, mézclalo bien con los demás ingredientes.

3 Cierra las tapas y cuece durante 2 minutos más en el microondas.

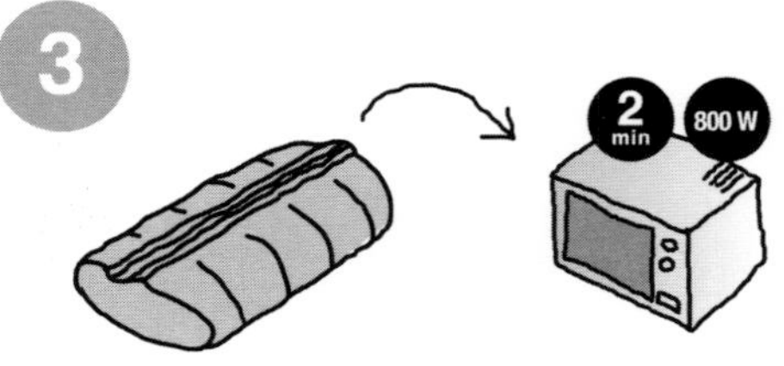

Semana 01 Día 05

Pechuga de pavo con alcachofas

Ingredientes

 **150 g** de pechuga de pavo

 **2** alcachofas

 **100 ml** de agua

 Sal

 Pimienta

 Salsa Worcerstershire

Preparación

❶ Limpia las alcachofas y córtalas a cuartos. Salpimiéntalas e introdúcelas en el Estuche de Vapor junto con el agua. Cierra el Estuche de Vapor y cuece en el microondas durante 10 minutos a potencia máxima (800 W).

❷ Corta el pavo a daditos, salpimiéntalo e incorpóralo junto las alcachofas al Estuche de Vapor, cierra las tapas y cuece durante 3 minutos más.

❸ Emplata y condimenta con un chorrito de salsa Worcerstershire.

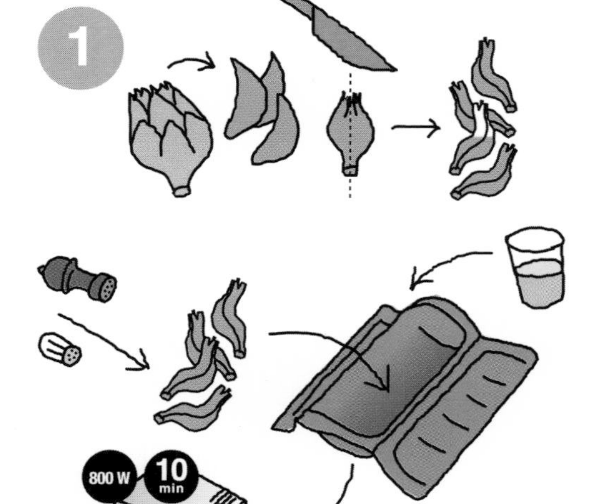

Semana 01 Día 05

Timbal de verduras

Ingredientes

 **1** berenjena pequeña

 **1** patata mediana

 **1/2** calabacín

 **200 g** de tomate triturado natural

 **1** cucharadita de azúcar

 Queso rallado

 Sal

 Pimienta

 Orégano

Preparación

❶ Corta las verduras en láminas no muy finas y sazónalas con sal y pimienta. Añade el azúcar al tomate triturado y mezcla bien.

❷ Coloca capas de verduras en el Estuche de Vapor, alternando la berenjena, la patata y el calabacín. Cubre con el tomate triturado y el queso rallado y repite la operación. Espolvorea un poco de orégano y cierra el estuche. Cuece en el microondas durante 15 minutos a potencia máxima (800 W).

❸ Comprueba que está bien cocido; si no cuécelo durante unos minutos más, rectifica de sal y sirve.

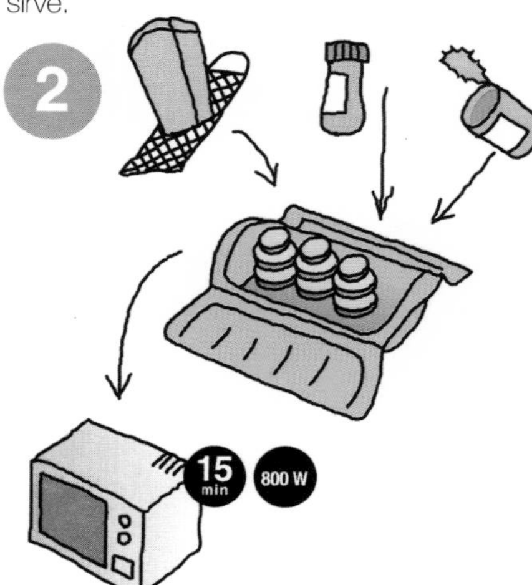

Semana 01 Día 05

Manzana asada

Ingredientes

1 manzana golden

1 cucharadita de azúcar

1 cucharadita de mantequilla

1 cucharada de agua

Canela en polvo

Preparación

❶ Pela la manzana, retira las pepitas y córtala en cuartos.

❷ Introduce todos los ingredientes en el Estuche de Vapor. Cierra y cuece en el microondas a potencia máxima (800 W) durante 3 minutos.

❸ Una vez cocida, retira del microondas y deja reposar unos minutos antes de servir.

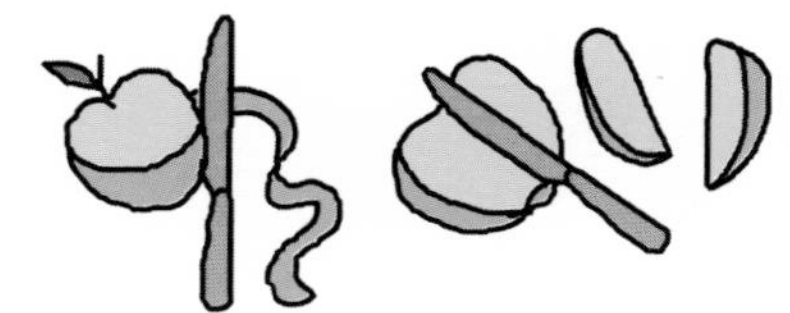

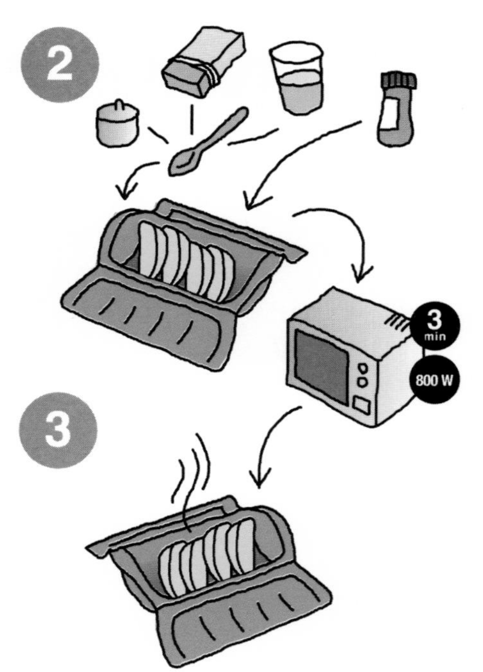

Consejo:

Si te apetece, puedes preparar este plato con antelación y dejarlo enfriar a la nevera para conseguir un sabroso postre frío.

Semana 01 Día 06

Arroz con langostinos

Ingredientes

 **1** taza de arroz thai

 **3** tazas de agua

 **6** colas de langostinos peladas

 **1** pastilla de caldo de pescado

 **1** cucharada de aceite de oliva

 **4** espárragos trigueros

 **1** diente de ajo

 **1** hoja de laurel

 **1** guindilla

 Sal

 Pimienta

Preparación

❶ Corta los espárragos en láminas dejando la punta entera.

❷ Introduce todos los ingredientes en el Estuche de Vapor. Cierra y cuece en el microondas durante 10 minutos a potencia máxima (800 W).

❸ Retira el estuche del microondas y deja reposar durante 2 minutos.

Semana 01 Día 06

Tarta de queso con frutos rojos

Ingredientes

 **250 g** de queso cremoso

 **6** cucharadas de azúcar

 **1/2** cucharada de harina de maíz

 **1** huevo

 Mermelada de frutos rojos o arándanos

Preparación

❶ Incorpora en un recipiente todos los ingredientes, excepto la mermelada, y bate hasta que la mezcla quede bien fina y sin grumos.

❷ Vierte la masa en el Estuche de Vapor. Cierra y cuece en el microondas a potencia máxima (800 W) durante 9 minutos.

❸ Deja enfriar antes de desmoldar. Sírvete una porción acompañada de mermelada de frutos rojos o de arándanos.

Semana 01 Día 06

Macarrones al pesto

Ingredientes

 **50 g** de macarrones

 **250 ml** de agua

 Salsa pesto

 Queso parmesano rallado

 Sal

 Pimienta

Preparación

1. Introduce los macarrones, el agua, la sal y la pimienta en el Estuche de Vapor. Cierra y cuece en el microondas durante 10 minutos a potencia máxima (800 W).

2. Retira el estuche del microondas y aliña con la salsa al pesto. Espolvorea un poco de parmesano rallado por encima.

Consejo:

Para la salsa pesto, pica y mezcla una cucharada de parmesano, albahaca, piñones, 1 diente de ajo y 2 cucharadas de aceite.

Semana 01 Día 06

Hamburguesa con cebolla confitada

Ingredientes

 **130 g** de ternera picada

 **250 g** de cebolla cortada en juliana

 **1** cucharadita de azúcar

 **100 ml** de agua

 **1** cucharada de aceite de oliva

 Salsa Worcerstershire

 Sal

 Pimienta

Preparación

Cebolla confitada

❶ Introduce la cebolla, el azúcar, la sal, la pimienta y el agua en el Estuche de Vapor. Cierra y cuece en el microondas a potencia máxima (800 W) durante 15 minutos, removiendo de vez en cuando y añadiendo un poco de aceite.

Hamburguesas

❷ En un bol, mezcla la carne picada con la salsa Worcerstershire y amasa bien para que quede bien impregnada de sabor. Divide la carne en dos bolas y aplástalas a modo de hamburguesas.

❸ Añade las hamburguesas a la cebolla confitada en el Estuche de Vapor. Cierra y cuece en el microondas a potencia máxima (800 W) durante 2 minutos y medio.

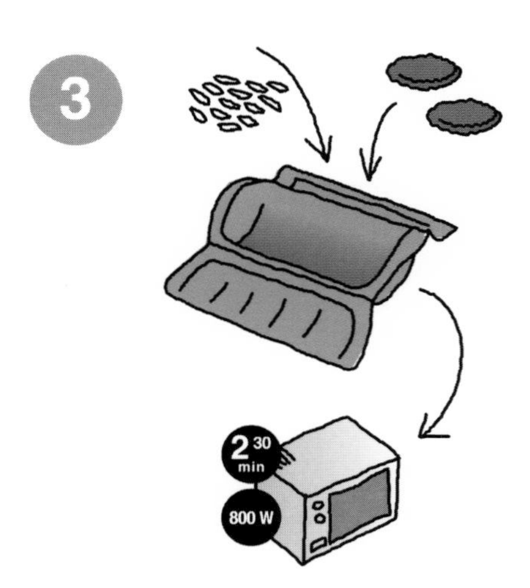

Semana 01 Día 07

Coliflor gratinada con emmental

Ingredientes

 **200 g** de coliflor

 **150 ml** de agua

 Queso emmental rallado

 Sal

 Pimienta

Preparación

1. Introduce la coliflor, el agua, la sal y la pimienta en el Estuche de Vapor. Cierra y cuece en el microondas a potencia máxima (800 W) durante 10 minutos.

2. Añade el queso emmental rallado. Con el estuche abierto, cuece en el microondas durante 3 minutos más para que quede bien gratinado.

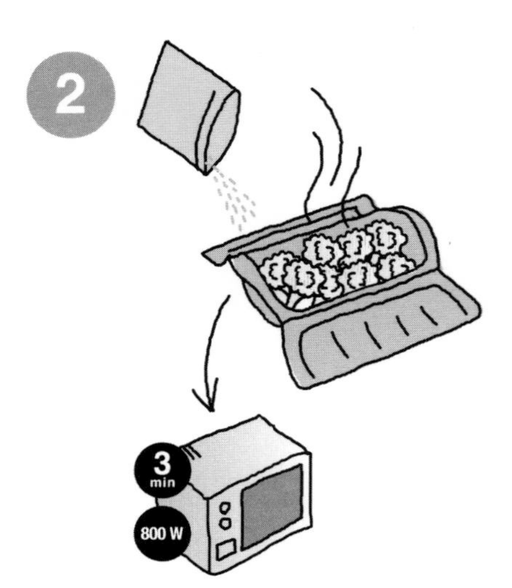

Semana 01 Día 07

Salchichas con patata, cebolla y mostaza

Ingredientes

 **3** salchichas

 **130 g** de patatas (2 patatas medianas)

 **30 g** de cebolla en juliana

 **100 ml** de agua

 **1** cucharada de aceite de oliva

 **1** cucharadita de mostaza de Dijon

 Romero en rama

 Sal

 Pimienta

Preparación

1 Corta la patata en tiras y la cebolla en juliana.

2 Introduce las patatas, la cebolla, el romero, el aceite, el agua, la sal y la pimienta en el Estuche de Vapor.

3 Cierra y cuece en el microondas a potencia máxima (800 W) durante 10 minutos.

4 Añade las salchichas junto con la mostaza y cuece durante 3 minutos más. Comprueba que las salchichas están cocidas y sirve.

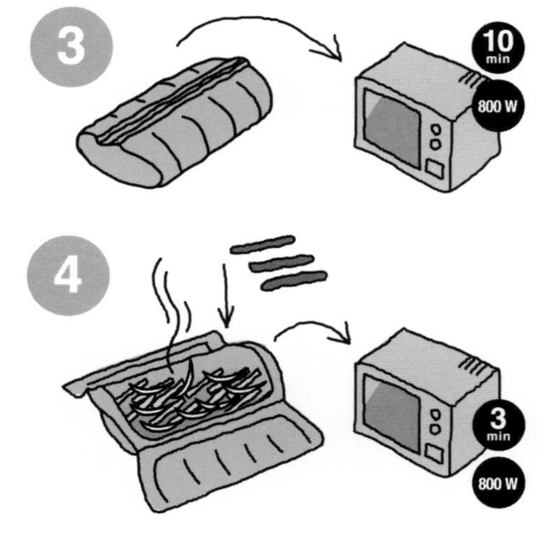

Semana 01 Día 07

Emperador con manzana asada y salsa agridulce

Ingredientes

 **150 g** de emperador en filete

 **1** manzana golden

 **4** cucharadas de vino blanco

 **1** cucharadita de mantequilla

 Zumo de limón

 **40 ml** de agua

 Sal

Pimienta

 Romero

 Tomillo

 Cebollino

 Perejil picado

Preparación

❶ Tritura el romero y el tomillo. Mézclalos con la mantequilla hasta formar una pasta homogénea.

❷ Pela la manzana, elimina las pepitas y córtala a dados grandes. Trocea también el emperador a dados.

❸ Salpimienta la manzana y el pescado. Colócalos en el Estuche de Vapor junto con el resto de los ingredientes y reparte la mantequilla especiada por encima. Cierra el estuche y cuece en el microondas durante 3 minutos a potencia máxima (800 W).

❹ Espolvorea perejil picado y sirve.

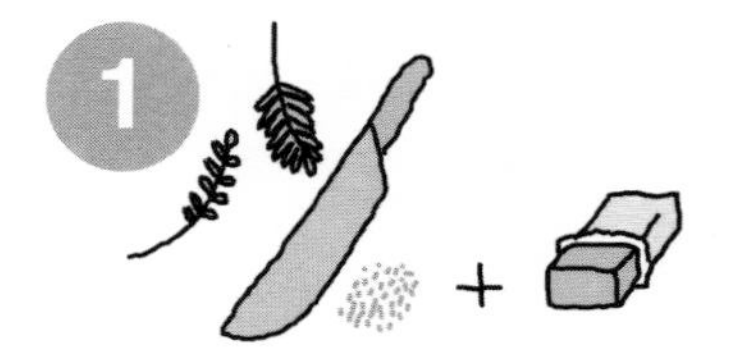

SEMANA 02

Día 08

Pasta con salmón al eneldo

Espinacas con pasas y piñones

Día 09

Rape con patatas al mortero

Día 10

Tagliatelle fresco a la marinera

Milhojas de pimientos, patata y mero

Día 11

Fideos con champiñones y ternera

Día 12

Menestra de verduras

Costilla de cerdo con salsa *teriyaki*

Arroz a la cubana

Día 13

Raviolis frescos de setas

Tarta de manzana

Acelgas con garbanzos

Carré de cordero a las finas hierbas

Día 14

Mejillones con arroz

Muslitos de pollo con patatas

Semana 02 Día 08

Pasta con salmón al eneldo

Ingredientes

 **50 g** de macarrones pluma

 **100 g** de salmón fresco

 **250 ml** de agua

 **1** cucharada de aceite de oliva

 **1** cucharadita de mantequilla

 Eneldo fresco picado fino

 Sal

Pimienta

Preparación

❶ Introduce los macarrones junto con la sal, la pimienta, el aceite y el agua en el Estuche de Vapor. Cierra y cuece en el microondas a potencia máxima (800 W) durante 10 minutos.

❷ Corta el salmón a daditos e incorpóralos al estuche junto con la sal, la pimienta y el eneldo picado. Reparte la mantequilla por encima y cierra el estuche.

❸ Cuece de nuevo en el microondas durante 1 minuto más y listo para servir.

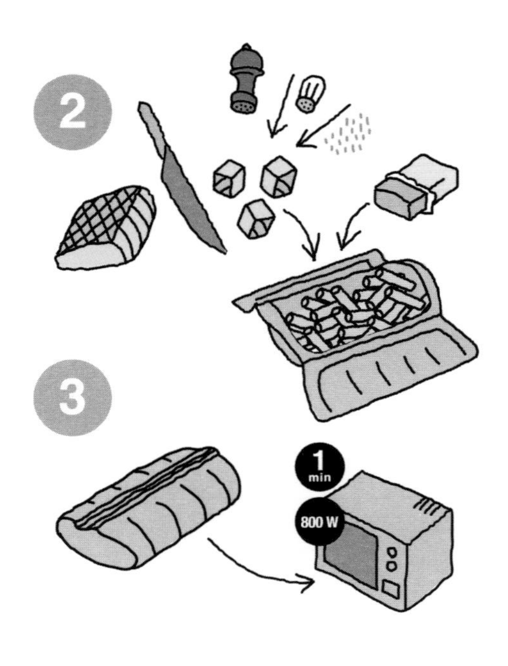

Semana 02 Día 08

Espinacas con pasas y piñones

Ingredientes

 **150 g** de espinacas frescas

 **100 ml** de agua

 **10 g** de mantequilla

 **1** cucharada de pasas

 **1** cucharada de piñones

Sal

 Pimienta

Preparación

❶ Coloca la mantequilla y los piñones en el Estuche de Vapor. Cierra y cuece en el microondas a potencia máxima (800 W) durante 4 minutos para que cojan color.

❷ Introduce el resto de los ingredientes en el estuche y cierra. Cuece durante 5 minutos más, removiendo ligeramente a los 2 minutos.

❸ Ya está listo para servir.

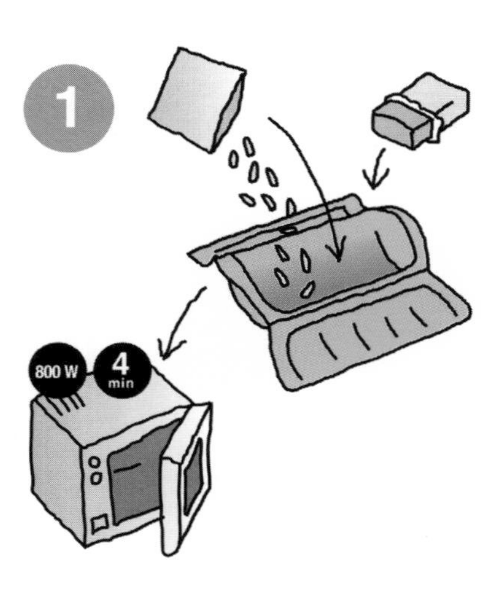

Semana 02 Día 09

Rape con patatas al mortero

Ingredientes

 **200 g** de patatas cortadas en rodajas

 **180 ml** de agua

 **150 g** de rape (colita) sin espinas

 **1** hoja de laurel

 **1** cucharada de aceite de oliva

 Perejil picado

Para rebozar

 Pimentón dulce

 Tomillo

Sal

 Pimienta

Preparación

❶ Introduce las patatas, junto con el agua, la sal y la pimienta, en el Estuche de Vapor. Cierra y cuece en el microondas durante 15 minutos a potencia máxima (800 W).

❷ Una vez cocidas, tritura las patatas con la ayuda de un tenedor hasta reducirlas a puré. Añade el perejil y el aceite, mezcla bien y reserva en un recipiente.

❸ En el mismo estuche de vapor, cubre la colita de rape con el pimentón, la sal, la pimienta y el tomillo. Una vez esté bien cubierta, cierra el estuche y cuece en el microondas durante 5 minutos a potencia máxima (800 W).

❹ Corta el rape a rodajas, emplata y sirve con el puré de patatas.

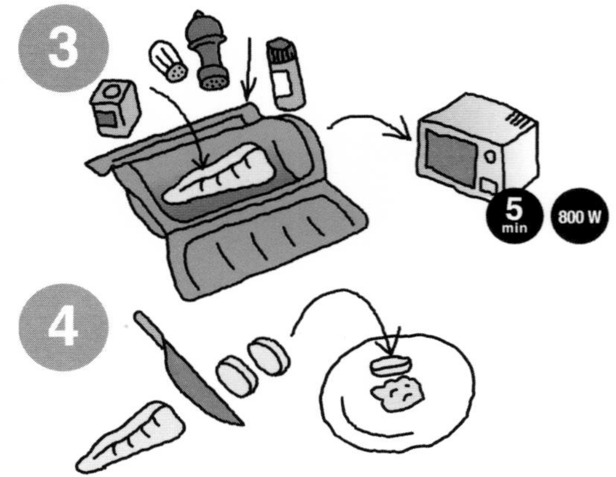

Semana 02 Día 10

Tagliatelle fresco a la marinera

Ingredientes

80 g de tagliatelle frescos

100 g de almejas

100 ml de agua

10 ml de vino blanco

1 diente de ajo picado

1 cucharadita de perejil picado

Orégano (al gusto)

Sal

Pimienta

Preparación

❶ Introduce todos los ingredientes en el Estuche de Vapor. Cierra y cuece en el microondas durante 4 minutos a potencia máxima (800 W).

❷ Aliña con un poco de aceite de oliva.

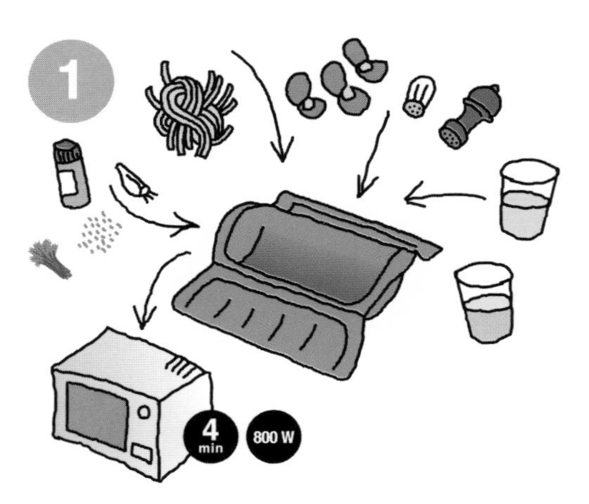

Semana 02 **Día 10**

Milhojas de pimientos, patata y mero

Ingredientes

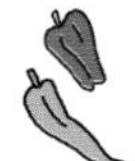

1 pimiento rojo

1 pimiento verde

2 patatas pequeñas

80 g de mero (lomo) sin espinas

40 ml de agua

Aceitunas negras

Aceite de oliva

Sal

Pimienta

Preparación

❶ Parte el pimiento rojo y el verde por la mitad a lo largo y corta las patatas en rodajas.

❷ Coloca las verduras por capas en el Estuche de Vapor, alternando el pimiento rojo, la patata y el pimiento verde. Salpimienta y añade el aceite y el agua. Cierra el estuche y cuece en el microondas durante 10 minutos a potencia máxima (800 W).

❸ Incorpora el mero junto a las verduras, cierra y cuece durante 3 minutos más.

❹ Tritura las aceitunas hasta obtener una pasta y repártela por encima del mero y las verduras.

Semana 02 Día 11

Fideos con champiñones y ternera

Ingredientes

 **50 g** de fideos

 **50 g** de champiñones

 **50 g** de carne de ternera picada

 **250 ml** de agua

 Aceite de guindilla*

Sal

 Pimienta

 Orégano

Para el sofrito

 **1** tomate mediano

 **1** cebolla mediana

 Aceite de oliva

Sal

 Pimienta

Preparación

1. Tritura el tomate junto con la cebolla hasta que todo quede bien picado. Introduce la mezcla en el Estuche de Vapor junto con un chorrito de aceite de oliva, sal y pimienta. Cierra y cuece en el microondas durante 3 minutos a potencia máxima (800 W).

Consejo:
Para preparar el aceite de guindilla, añade una guindilla troceada dentro de un vaso de aceite de oliva y deja macerar 24 horas como mínimo.*

2. Corta los champiñones a trocitos pequeños y añádelos al Estuche de Vapor junto con el resto de ingredientes. Ciérralo y cuece en el microondas a potencia máxima (800 W) durante 12 minutos.

3. Remueve ligeramente, deja reposar 5 minutos fuera del microondas con el estuche cerrado y ¡ya está listo!

Semana 02 Día 12

Menestra de verduras

Ingredientes

 Zanahorias baby

 **100 g** de judías verdes

 **3** flores de coliflor

 **3** flores de brócoli

 **1/2** patata cortada a dados

 **3** puntas de espárragos trigueros

 **100 ml** de agua

 Sal

 Pimienta

Preparación

❶ Introduce todos los ingredientes en el Estuche de Vapor. Cierra y cuece en el microondas durante 4 minutos a potencia máxima (800 W).

❷ Aliña con aceite de tomillo y cebollino.

Semana 02 Día 12

Costilla de cerdo con salsa *teriyaki*

Ingredientes

 **260 g** de costilla de cerdo troceada

 **100 ml** de vino blanco

 Sal

 Pimienta

Para la salsa teriyaki

 **2** cucharadas de vinagre de Módena

 **6** cucharadas de salsa de soja

 **15 g** de azúcar

Preparación

❶ Salpimienta la costilla de cerdo e introdúcela, junto con el vino blanco, en el Estuche de Vapor.

❷ Cierra el estuche y cuece en el microondas a potencia máxima (800 W) durante 11 minutos.

❸ Añade los ingredientes de la salsa *teriyaki* y mézclalo bien. Cierra el estuche y cuece en el microondas durante 1 minuto más.

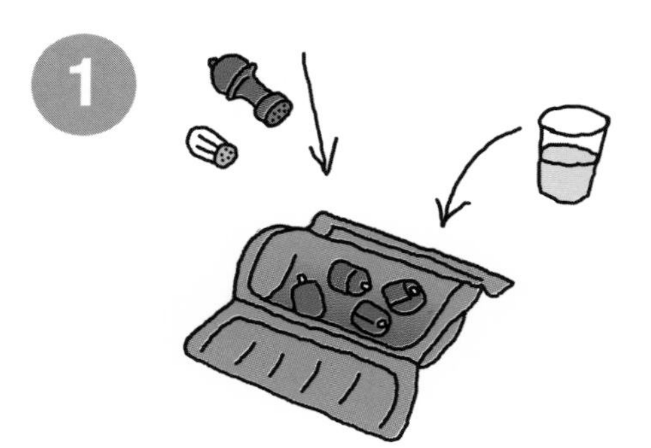

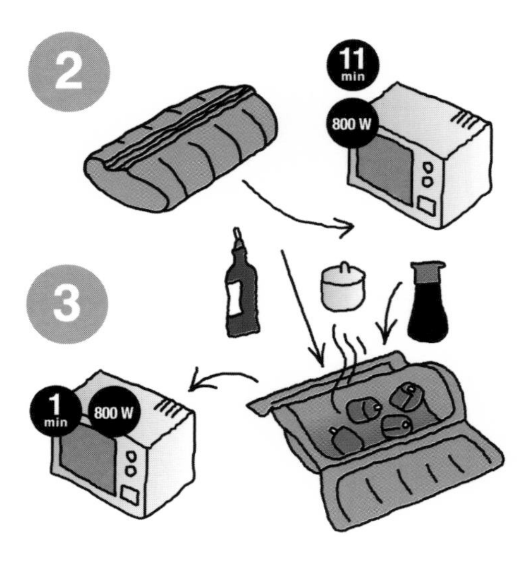

Semana 02 Día 12

Arroz a la cubana

Ingredientes

 **55 g** de arroz

 **250 ml** de agua

 **1** huevo

Sal

 Pimienta

 Plátano (opcional)

Para el sofrito

 **1** tomate mediano

 **1** cebolla mediana

 Aceite de oliva

 Sal

 Pimienta

Preparación

❶ Tritura el tomate junto con la cebolla hasta que quede bien picado. Introduce la mezcla en el Estuche de Vapor junto con un chorrito de aceite de oliva, sal y pimienta. Cierra y cuece en el microondas durante 3 minutos a potencia máxima (800 W).

❷ Introduce el resto de los ingredientes (también el plátano, si te apetece), excepto el huevo, en el Estuche de Vapor. Cierra y cuece en el microondas durante 12 minutos a potencia máxima (800 W). Remueve de vez en cuando para asegurar una cocción uniforme del arroz.

❸ Abre el estuche y parte el huevo por encima con cuidado para que no se rompa la yema. Salpimienta, cierra el estuche y cuece durante 40 segundos más en el microondas.

❹ Una vez cocido el huevo, ya está listo para servir.

Semana 02 Día 13

Raviolis frescos de setas

Ingredientes

 **100 g** de raviolis frescos rellenos de setas

 **100 ml** de leche

 **100 ml** de nata líquida para cocinar

 **1** cucharada de queso emmental rallado

 Sal

 Pimienta

 Nuez moscada

Preparación

❶ Introduce en el Estuche de Vapor la mezcla de leche, nata líquida, sal, pimienta y nuez moscada junto con los raviolis. Cierra el estuche y cuece en el microondas a potencia máxima (800 W) durante 4 minutos.

❷ Una vez cocidos los raviolis, añade un poco de queso emmental y déjalo reposar un minuto con las tapas cerradas.

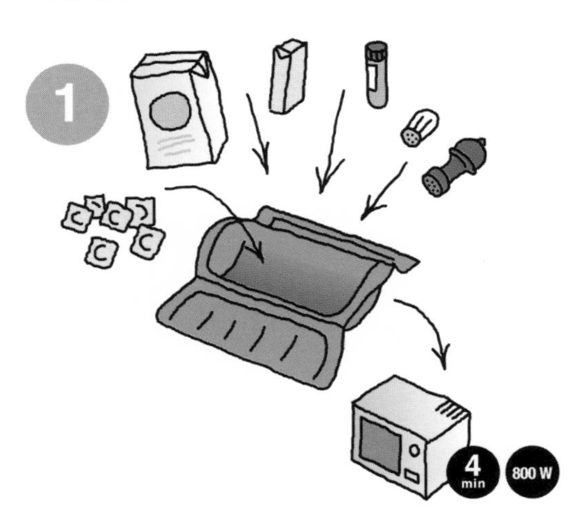

Semana 02 Día 13

Tarta de manzana

Ingredientes

 **40 g** de harina

 **40 ml** de aceite de oliva

 **50 g** de azúcar

 **1/2** cucharadita (6 g) de levadura en polvo

 **2** huevos

 **1** manzana

 Azúcar glas

Preparación

1 En un bol, mezcla todos los ingredientes, excepto la manzana, con la ayuda de un batidor.

2 Corta la manzana a daditos e incorpórala a la masa suavemente con una espátula.

3 Introduce la masa en el Estuche de Vapor. Cierra y cuece en el microondas durante 2 minutos y medio a potencia máxima (800 W).

4 Comprueba que la tarta está hecha pinchando la masa con un palillo: si sale limpio, está lista; de lo contrario, cuece unos segundos más o deja reposar con las tapas cerradas.

5 Desmolda la masa, espolvorea con un poco de azúcar glas y sirve.

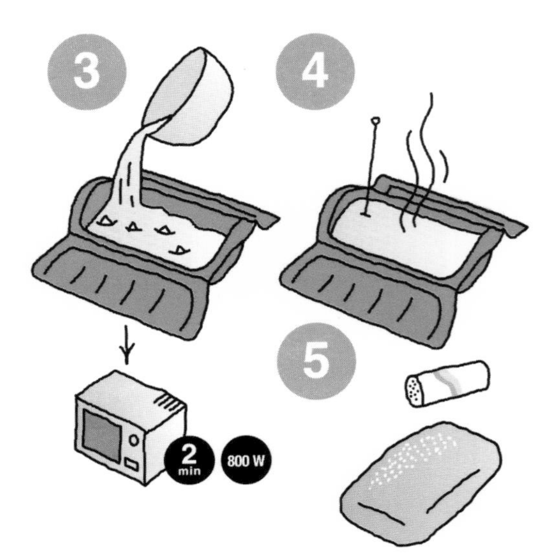

Semana 02 Día 13

Acelgas con garbanzos

Ingredientes

 **20 g** de acelgas frescas y limpias

 **150 g** de garbanzos cocidos

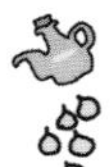 **1** cucharada de aceite de oliva

 **1** cucharadita de avellanas tostadas trituradas

 **110 ml** de agua

Sal

 Pimienta

Para el sofrito

 **1** tomate mediano

 **1** cebolla mediana

 Aceite de oliva

 Sal

 Pimienta

Preparación

1 Tritura el tomate junto con la cebolla hasta que todo quede bien picado. Introduce la mezcla en el Estuche de Vapor, junto con un chorrito de aceite de oliva, sal y pimienta. Cierra y cuece en el microondas a potencia máxima (800 W) durante 3 minutos.

2 Añade el resto de los ingredientes, cierra el estuche y cuece en el microondas a potencia máxima (800 W) durante 2 minutos.

3 Retira el Estuche de Vapor y deja reposar durante 2 minutos antes de servir.

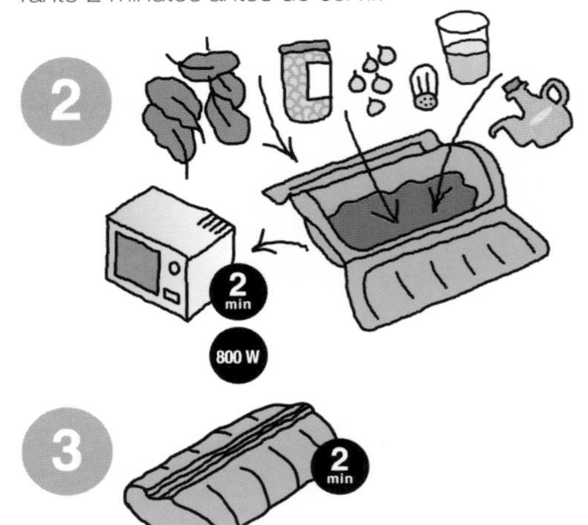

Semana 02 Día 13

Carré de cordero a las finas hierbas

Ingredientes

 **130 g** de carré de cordero (preparado en la carnicería)

 **1** tomate cortado en dos

 **1** cucharadita de agua

Para condimentar el carré

 **1** cucharada de aceite de oliva

 Romero seco

 Orégano seco

 Perejil seco

 Tomillo seco

Sal

 Pimienta

Preparación

1 Mezcla el aceite con las especias, la sal y la pimienta. Condimenta el carré con este aliño.

2 Corta el tomate por la mitad e introdúcelo en el Estuche de Vapor junto con el carré y el agua. Ciérralo y cuece en el microondas durante 2 minutos a potencia máxima (800 W)

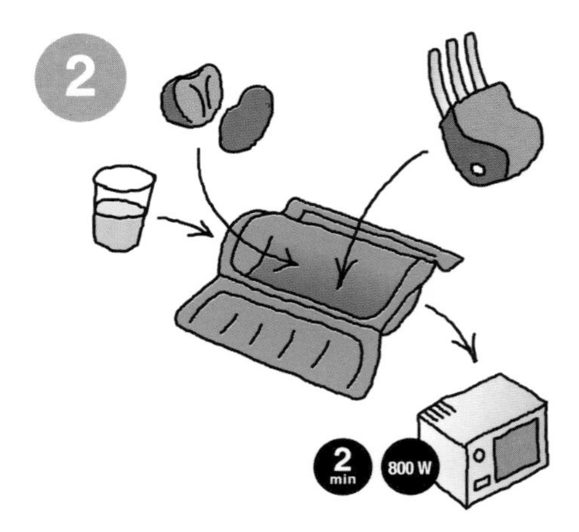

Semana 02 Día 14

Mejillones con arroz

Ingredientes

 **300 g** de mejillones (mejor si son de roca)

 **15 ml** de vino blanco

 Sal

 Pimienta

Para el arroz

 **50 g** de arroz thai

 **190 g** de agua

 Sal

 Pimienta

Para el sofrito

 **1** tomate mediano

 **1** cebolla mediana

 Aceite de oliva

 Sal

Pimienta

Preparación

1 Tritura el tomate con la cebolla hasta que quede bien picado. Introduce la mezcla, junto con un chorrito de aceite de oliva, una pizca de sal y una pizca de pimienta, en el Estuche de Vapor. Cierra y cuece en el microondas durante 3 minutos a potencia máxima (800 W).

2 Incorpora los mejillones y el vino blanco, cierra el estuche y cuece en el microondas a potencia máxima (800 W) durante 2 minutos más.

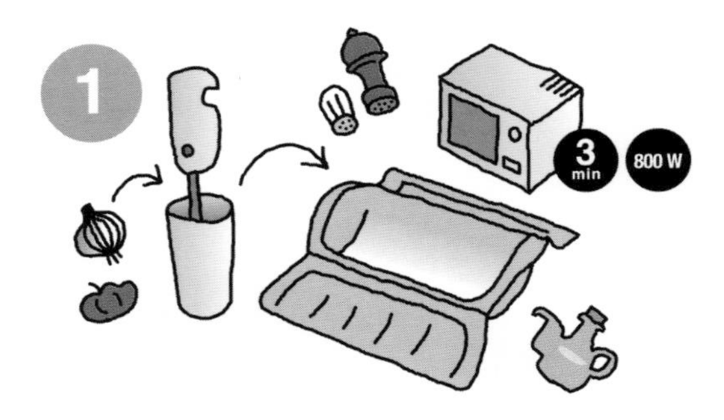

3 Reserva los mejillones en un plato hondo. En el mismo estuche, añade el arroz, el agua, la sal y la pimienta. Cierra y cuece durante 10 minutos a potencia máxima (800 W) en el microondas.

4 Sírvelo todo junto y ¡a disfrutar!

Semana 02 Día 14

Muslitos de pollo con patatas

Ingredientes

150 g de muslitos de pollo (2 ud.)

130 g de patatas

30 g de cebolla

60 g de tomate

1 cucharada de aceite de oliva

80 ml de agua

20 ml de vino blanco

Tomillo

Sal

Pimienta

Preparación

1 Corta la patata y el tomate en rodajas y la cebolla en juliana.

2 Introduce las patatas, la cebolla, el tomate, el vino blanco, el agua, el aceite, el tomillo, la sal y la pimienta en el Estuche de Vapor. Salpimienta los muslitos de pollo y colócalos encima de las verduras.

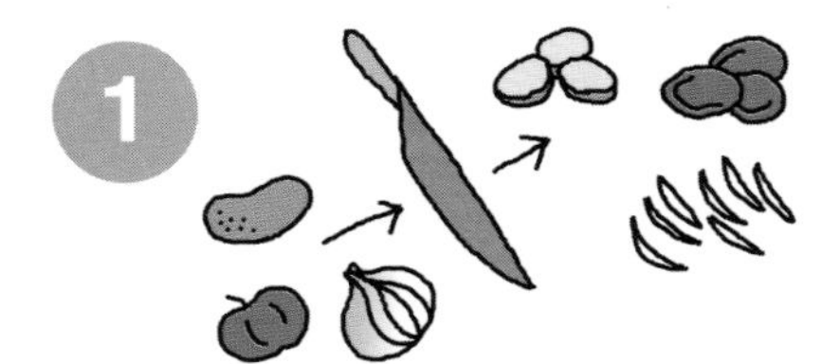

3 Cierra el estuche y cuece en el microondas durante 15 minutos a potencia máxima (800 W). Sirve.